Yves Heurté

HISTOIRES SANS RIVAGES

contes

illustrations de Valérie Decugis

FREQUENCE 4

ARSENE
CREATION
MAGNARD

© Editions Magnard
122 Bd Saint-Germain, Paris 6ᵉ

A ma petite fille Elisabeth

LEGENDE DU MONGOL

C'ETAIT entre la Ville Rouge et la Vallée du Roi, bien avant le déferlement des hordes de Genghis Khan. On ne se souvient plus du nom du souverain qui dépêcha vingt de ses hommes parmi les plus sûrs et les plus forts, de l'autre côté du fleuve Amour, pour chercher la Coupe de Vie.

Cette coupe, il l'avait arrachée à une cité vaincue dont tout s'est perdu, même le nom. Si on y buvait matin et soir, elle rendait le corps si heureux qu'il n'y avait plus de maladie possible.

Quant à l'âme, boire à la coupe l'inondait d'un tel enthousiasme que la vieillesse n'existait plus. Qui y buvait mourrait infiniment vieux comme on s'endort parmi les fleurs à la fin d'un festin de noces.

La caravane et l'escorte, pour raccourcir le chemin de retour, traversaient le grand glacier au-dessus des lacs de Baldiamir quand le yack qui portait la coupe effondra un pont de neige et tomba au fond d'une crevasse de glace vive.

Elle était si précieuse, cette coupe, et le Roi de la Ville Rouge l'attendait avec tant d'espoir que revenir sans elle serait tendre sa gorge au bourreau. S'enfuir ? La perte passerait pour un vol et demain ou dans dix ans, les soldats subiraient les supplices les plus raffinés.

L'escorte décida de camper sur le glacier pour sonder les crevasses et, coûte que coûte, retrouver le yack et son chargement. On s'installa sous un roc géant qui protégeait des tempêtes et des indiscrets. La grande langue de glace qui descendait entre les falaises rouges était par bonheur si limpide qu'on ne pouvait

10

tarder à repérer dans cette grande transparence la forme brune de la bête.

Tous les soirs, quand le soleil prenait les crevasses en enfilades, les soldats se couchaient sur les bords et regardaient. L'un d'eux, enfin se releva dansant de joie : il avait trouvé. Après des prodiges d'équilibre, on réussit à descendre une corde terminée par un crochet qui s'enfonça, vingt mètres plus bas, dans l'encolure du yack. Mais quand ils remontèrent la bête, la coupe tomba au fond. Allez donc, maintenant, repérer dans ce lieu limpide, un cristal transparent. Autant retrouver un diamant tombé en mer.

— Il faut revenir à la Ville Rouge, dit le chef, et dire la vérité.

— Moi, je reste, dit le Mongol à la face plate qui portait sur son cheval les outres de vin rouge.

— Tu es fou, dirent les autres, l'hiver est là !

— J'ai la folie de cette coupe. Si je la trouve, elle sera à moi et à personne d'autre.

— Commence par nous la montrer eh Mongol !

11

Le soldat vida ses outres le long de la crevasse, et miracle, la coupe garda le vin. Tous purent la voir comme un bouton rouge dans un habit de soie bleue, mais loin, si loin.

— Et maintenant ?

— J'ai dit que c'est ma folie !

Et le Mongol se laissa tomber dans la crevasse.

Dès qu'il vit ses soldats passer les portes de la Ville Rouge, le Roi cria :

— Où est la coupe ?

— Au fond du glacier.

— Il manque le Mongol.

— Il est avec elle.

— Par votre faute, je devrai mal vieillir et mal mourir. Allez donc m'attendre de l'autre côté !

On les brûla vifs. Leurs fumées montèrent, inutiles, dans le ciel.

Pendant des années, tous les printemps, le souverain se fit porter au bout de la langue du glacier, pour voir si en fondant il n'aurait pas abandonné sa coupe. Il mourut d'angoisse et de rage beaucoup plus tôt qu'en vivant simplement sa vie.

La légende du Mongol lui survécut sans

qu'on sache très bien de quel glacier il s'agissait. Il paraît même qu'une vieille femme, en courant sur la glace pour éviter l'avalanche, y était tombée à plat ventre. Soudain, dans les profondeurs, elle avait vu la fabuleuse coupe pleine de vin glacé et le corps du Mongol tendait vers elle, à travers la glace, sa main ouverte.

Les armées du Grand Boiteux passèrent par là et par trahison, le Khan entra dans la Ville Rouge, éventra ses habitants et ruina ses murailles. Un des gardes de Genghis, pour annoncer plus vite la victoire, traversa le glacier. Il se penchait pour boire à un filet d'eau qui coulait sur la glace quand, dans les profondeurs glauques à peine teintées par le couchant, il vit une forme humaine qui, du bout des doigts, touchait une tache rouge.

Il revint au triple galop annoncer la nouvelle au Khan.

Mais on le pensa pris d'insolation et on le roula entre deux couvertures trempées dans l'eau glacée du torrent.

Passèrent les siècles. Un jeune officier anglais de la garnison qui occupait Kaboul était monté à cheval vers Bamyan, pour voir l'immense Bouddha creusé dans la falaise. Déçu par le colosse, il continua vers les sommets. Il passait sous la chute du glacier quand un cri lui échappa. Ce n'était ni le lieu ni l'heure des mirages et pourtant !

Au bout de la fine langue vitreuse, un bras dépassait. La main tenait une coupe où pétillait un fond de vin rouge. Le visage de l'homme, les yeux grands ouverts, était encore noyé dans le glacier.

Quand l'officier lui prit la coupe et termina le vin, le regard du Mongol s'emplit d'un tel effroi que l'officier, pris de panique, la remit dans sa main, sauta sur son cheval et piqua des deux vers les gorges. Un bien-être bizarre gagnait son corps et son âme. Une telle folie de vie qu'il crut pouvoir sauter d'un bord à l'autre du ravin. Mais le cheval n'avait pas bu. C'était un coursier ordinaire de l'armée anglaise. Il plongea dans le vide.

Deux mois de soleil délivrèrent les lèvres du Mongol. Après tant de siècles d'attente, il but enfin à sa coupe. Le froid de la nuit gela son sourire pour la dernière fois.

Le lendemain il s'arrachait à la glace et titubait parmi les fleurs. Il passa en chantant sous les ruines de la Ville Rouge où le Roi n'était plus que glaise et les suppliciés cendres dispersées aux quatre vallées.

Le Mongol ne prit pas le temps de s'attendrir sur ces vieilles histoires. Il avait tant et tant désiré le soleil, tant et tant poussé sa main vers sa coupe, tant et tant été mort !

Ah ces genévriers, ces oiseaux autour des cascades ! Toutes ces eaux vivantes qui s'enfuyaient de la glace morte, comme lui !

Ah, ces jeunes filles dans cette odeur de miel sauvage et tous ces siècles à vivre auprès d'elles !

LA MAIN DE MARBRE

SUR l'île de Délos, il n'y avait ni arbre, ni source, ni mouton. Sur Délos ne semblaient pousser que des statues.

Tous les ans, à la belle saison, on en débarquait par deux ou par trois, venant de Grèce ou d'Asie dans leurs boîtes de paille serrées par des sarments.

Pour leur gardien Andreas, elles n'étaient qu'un geste de plus vers le ciel. Ah, le trésor d'Olympie ! Là-bas, dans les eucalyptus il y avait des saisons, des fruits qui tombent, des papillons, des cigales, des guêpes et tout un petit monde qui finit par connaître son gardien.

17

Mais garder Délos, c'était voir au coucher du soleil des silhouettes d'ébène qui gesticulent, à l'aube des corps rouges dans le vent de mer et au plein midi des faces d'un blanc éblouissant qui font cligner les yeux. La pluie jetait souvent sur les épaules de marbre ses capes brunes, mais le nuage n'était pas encore à l'horizon qu'elles étaient de nouveau nues.

Andreas avait fini par haïr ce peuple silencieux qui entourait sa solitude de discours immobiles. Dire que ces fantasmes sortaient d'un burin et d'une main d'artiste que lui, Andreas, aurait bien fait couper !

Son seul amour, son grand amour sur l'île était le couple de pluviers qui venait y pondre. Il les chérissait comme on aimerait à la fois un père, une mère et une petite fille.

Un soir d'août, la voria se mit à souffler avec toute la brutalité des tempêtes du Sud. Elle rabotait les écumes sur la mer pour les jeter, comme des crachats, sur les murettes d'Andreas.

Elle roulait d'un bout à l'autre de l'île des paquets d'algues sèches et des herbes

18

à épines, dont elle faisait des boules bizarres. Cette nuit-là, le gardien rêva que l'île allait disparaître comme une caïque qui coule d'un coup dans un détroit. Il imagina, sur la mer, des centaines de bras de marbre, tendus vers le ciel avant de gagner le fond et l'oubli. Il s'éveilla en sursaut et pensa à ses pluviers qui, emportés par le vent, risquaient de changer d'île et d'aller pondre à Mykonos ou plus loin encore. Il enfila sa peau de mouton et, dans la gueule sinistre du vent, il suivit jusqu'au bout l'allée des lions. Là, ses yeux restèrent fixes. Ses pluviers avaient bâti leur nid entre les mains d'un vieil idiot de marbre barbu, qui tendait ses bras vers la mer. L'oiseau avait entrelacé les doigts de pierre avec des pailles, des algues et des plumes, tout ce qui fait un nid. Au fond brillaient quatre œufs bleu-clair.

Andreas refit le chemin entre les statues de lions, en espérant que ce coup de voria, le plus sauvage qu'il ait jamais vu, fracasserait les effigies de marbre d'un bout à l'autre de l'îlot. Pour ses oiseaux ils ne savait plus que souhaiter.

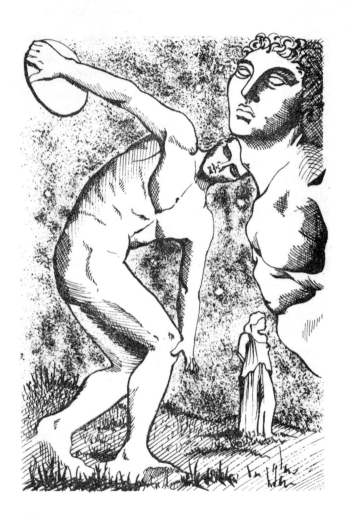

Si le nid était dispersé, cela apprendrait à ses amis qu'on ne se confie pas aux mains d'une statue. Mais les œufs ?

S'ils se brisaient, plus d'oisillons, plus de cris, plus de jeux dans le ciel pour le distraire.

L'aube levait à peine ses loques rouges qu'Andreas refaisait le chemin des lions. Aucune statue n'était tombée. Les dieux qui les protègent avaient dû se battre pour elles. Quant au nid, Andreas aurait juré que la veille, il était simplement posé sur les mains du vieux Poséidon. Ce matin, les mains s'étaient refermées sur les œufs. L'ouragan pouvait se ruer toute la semaine sur Délos !

La nuit suivante, la tempête reprit et Andreas fit un songe.

Il gardait l'île avant l'arrivée des statues. Elles sortaient de la mer, montaient à pas pesants sur le rivage, escaladaient les rocs, arrachaient les arbustes et piétinaient les fèves.

Mais Andreas se battait. Il leur brisait bras et jambes et finissait par les rejeter à la mer.

Il s'éveilla en sursaut, prit sa bêche et

sortit. Les constellations le regardaient comme les yeux des spectateurs luisent au théâtre derrière les torches. A coups de pioche, il brisa les bras de Poséidon, revint à sa cabane et se jeta sur la paille.

Le vent grinçait sous la porte comme la lame d'un couteau.

Dès qu'il s'endormit, les dieux enfourchèrent les vagues de ses rêves. Ils serraient leurs crinières à pleines mains et poussaient devant eux l'armée blanche des statues. Andreas faisait toujours d'aussi grands ravages mais les bras et les jambes qu'il brisait repoussaient aussitôt. L'armée de pierre allait l'écraser quand il s'éveilla, grelottant de fièvre. Il jeta ses vêtements trempés d'une sueur amère et c'est nu qu'il refit la haie des lions.

Les bras qu'Andreas avaient brisés étaient en place, et deux petits pluviers nés de la nuit pépiaient sur un doigt.

Cette fois, toute sa raison quitta Andreas. Il entendit gémir les femmes de marbre et grogner les faux dieux. Il arracha le nid des mains de Poséidon et à coups de talons, écrasa les deux œufs qui restaient à éclore. Le vent hurla contre lui. Andreas répondit par un cri encore plus fou. Soudain, tout se tut. Autour de sa gorge, une main de marbre se refermait lentement.

CONTE A L'ANCIENNE

LE château de Malicorne avait trente tours et cinq cents soldats, mais seul le Roi se prenait pour un homme. Pour lui, le reste de l'humanité, sa fille Astèle comprise, n'était qu'un troupeau de singes habillés. Qui arrivait à cheval pour demander Astèle en mariage s'en retournait ficelé sur un âne et personne n'osait s'en plaindre tant cette forteresse de Malicorne semblait inexpugnable.

Vint à passer un jeune gaillard d'on ne sait quelle cour lointaine et inconnue, qui passait frontière après frontière simplement pour voir comment c'était de l'autre côté. Ce gaillard-là ne passait jamais inaperçu. Il avait une façon de s'arrêter devant vous, surtout si vous étiez notable, et de vous dévisager avec une telle commisération que c'en était une insulte des yeux bien pire que celle des mots. Cet insolent ne devait de vivre encore qu'à sa façon de courir avec de si brusques changements de direction que les hommes d'arme lancés à sa poursuite terminaient pieds en l'air dans un affreux bruit de ferraille.

Il demanda comment s'appelait la fille du roi et quand on lui dit Astèle, il demanda à la voir, simplement parce qu'il s'appelait lui-même Asti. A part cela, fit-il dire au roi, il ne prétendait ni à la fille ni au royaume, ce dont Astèle fut folle de joie.

— Qu'on lui montre ma fille ! cria le souverain furieux. Et toi, ma fille, regarde ce voyou qui nous méprise.

— Il ne méprise que votre méprise.

— J'ai dit : Silence !

On déshabilla le jeune homme, on le badigeonna de glu et on colla sur lui des nénuphars. On fit de même avec Astèle qu'on roula dans les feuilles d'un chêne. Puis on les mit face à face. Asti et Astèle n'eurent besoin que de se regarder dans les yeux pour savoir qu'ils étaient de la même espèce libre.

— Il te plaît ?

— Beaucoup !

— Elle te plaît ?

— A la folie !

— Qu'est-ce qui t'enchante chez ce clown ridicule ?

— Il le sait.

— Qu'est-ce qui t'enchante chez ma sotte de fille ?

— Elle le sait.

— Bien. Si vous faites la même réponse à ma question, je vous marie.

— Vous pouvez annoncer la noce.

— Toi, Astèle, écris ce qu'il va dire.

Et quand elle leva la plume :

— A toi la parole.

— Merci, dit Asti. Ce qui chez moi plaît à votre fille c'est que je suis moi, rien que moi comme elle est elle et rien qu'elle tandis qu'elle se fera moi. Ainsi nous serons un sans cesser d'être deux et serons deux sans cesser d'être un.

— C'est ce que j'ai écrit, dit Astèle, lisez !

— C'est bon, cria le roi qui n'y avait rien compris, mais dites-moi au moins ce que je suis.

— Rien, comme d'habitude, dit Asti.

— Et maintenant, mariez-nous, dit Astèle.

Le roi se vit forcé de tenir sa promesse. On unit Asti et Astèle pour aussitôt les séparer. Devant sa cour hilare, le souverain cria :

— Vous n'avez pas besoin d'être ensemble puisque de toute façon, vous n'êtes pas deux mais un !

Et on les enferma chacun dans sa tour, aux extrémités du château. Asti eut seulement le droit d'embrasser sa femme mais au lieu de pleurer ils se firent un clin d'œil. Huit jours après, le roi fit demander à sa fille ce qu'elle pensait de sa lune de miel.

— Elle vous remercie pour ce mariage follement heureux.

— Qu'on pose la même question à Asti.

28

— Sire, il fait la même réponse.

— Que font mes amoureux de leurs journées ?

— Ils ramassent des feuilles mortes, chacun sur sa terrasse et ils ont tous deux attaché une écharpe de soie au bout d'un bâton.

— Est-ce qu'ils peuvent se voir ?

— Impossible.

— Est-ce qu'ils peuvent s'entendre ?

— Vous n'y pensez pas !

— Qu'on me dise quand ils seront tristes.

La semaine suivante, un valet porta au roi un message d'Asti. Il disait :

— Sire, votre fille s'est piquée un doigt avec une aiguille. Va-t-elle mieux ?

Il tenait encore ce message quand on lui en apporta un autre, cette fois d'Astèle.

— Mon père, pouvez-vous me dire pourquoi ce matin même, mon époux a reçu le barbier ?

— Tout cela est-il vrai ?

— Hélas, Sire !

Qu'on jette leurs gardes aux grenouilles

et qu'on les remplace par mes propres cousins.

Une semaine encore et il rendit visite à sa fille.

— Cette fois, Astèle, tu ne me parles plus du barbier de ton galant ?

— Que non, mon père, mais si vous voyez mon mari soyez assez gentil de le remercier pour la fine chaînette d'or dont il m'a fait cadeau.

Elle ouvrit sa main et montra une chaîne si fine qu'elle aurait tenu tout entière dans l'œil d'un oiseau.

Le roi courut dans la tour d'Asti.

— Ma fille me raconte que vous lui avez envoyé un collier d'or ?

— Hélas, beau-père, j'ai oublié le fermoir. Voudriez-vous avoir la bonté de le lui porter et profitez-en pour la remercier de cette merveilleuse plume de pic-vert que je porterais à ma toque, si j'avais une fine épingle digne de l'y fixer.

— Et moi ! Que suis-je dans cette affaire ? hurla le roi.

— Rien, Majesté, absolument rien. Je vous permets justement d'être quelqu'un en lui portant le fermoir.

— Je ne porterai rien.

— Qu'à cela ne tienne...

Le roi sortit comme un fou. Son pied se prit dans un tapis ; il débaroula dans l'escalier et il ne parvint chez sa fille qu'une heure après, soutenu des deux épaules.

— Je t'interdis...

Il n'en put dire plus. La chaîne pendait au cou, maintenue par le merveilleux fermoir. Le roi s'étouffa presque.

— Je veux savoir par quelle sorcellerie...

— Il n'y a de sorcellerie que l'amour. Et comme vous n'êtes rien et n'avez rien vu, je peux vous dire notre secret. Si vous saviez aimer, vous en inventeriez tout autant.

— Qui fait vos courses, que je le tue de mes mains !

Elle rit.

— Vous auriez quelque peine. On ne tue ni l'eau ni le vent.

Astèle jeta sur le fossé des douves une feuille morte que le vent poussa. Quelque temps après Asti la reprenait.

— La première fois, sur ma feuille

il y avait une aiguille et une goutte de sang. Sur la sienne, quelques poils de barbe.

« Si vous saviez tout ce que nous nous sommes dit depuis notre mariage ! Plus que vous et ma mère depuis le vôtre !

Le roi fit vider les douves. Ses soldats lui firent remarquer qu'ainsi le château n'était plus à l'abri d'une attaque-sur-prise.

— Peu importe. Si je ne suis vraiment rien, à quoi servirait de me défendre ?

La seule victoire qui lui importait était de gagner contre l'amour. En ce sens il ne se trompait pas d'ennemi. Il passa sa nuit sur son trône, devant la porte d'Asti et plaça des soldats partout. Les souris ne pouvaient plus rouler une noix sans se trouver devant une épée.

L'aube passait à peine son poing rouge à travers les vitraux de la tour que le roi, d'un coup de botte, poussait la porte de la chambre du jeune homme. Il le trouva très abattu.

— Alors, l'amoureux, les cadeaux sont finis ?

— Beau-père, je suis triste parce qu'Astèle est malade.

— Malade, ma fille ? Malade d'amour ? Sans doute ?

— Malade de gorge. Elle tousse beaucoup, depuis que le vent a cassé une de ses vitres. Ne seriez-vous pas au courant ?

— Ventrebleu !

Le roi débaroula encore une fois l'escalier, et le temps de se faire rabouter l'épaule, il entra chez Astèle. Asti avait raison.

— Je vais rassurer mon mari, dit-elle. Et sous les yeux exorbités de son père, elle s'arracha un cheveu, y attacha une mouche et la laissa pendre par la fenêtre. Quand elle ramena doucement le cheveu, un lézard suivit la mouche. Elle l'attrapa prestement, écrivit deux mots sur son ventre blanc, lui pinça la queue et le relâcha.

— Vous voyez bien, mon père, que vous ne pouvez rien contre nous. Gardez votre royaume et laissez-nous partir, ou vous finirez par n'être vraiment rien pour personne.

Le roi devint comme fou. Il convoqua les médecins et les architectes. Ils jugèrent impossible de tuer tous les lézards d'une muraille. La seule solution serait d'abattre le rempart entre les deux tours, de telle sorte que ni bête ni homme ne puisse passer de l'une à l'autre. Mais les chefs de guerre poussèrent de hauts cris. Défoncer la muraille, c'était permettre à n'importe quelle armée d'investir le bastion jusque-là imprenable.

— Nous mourrons tous, mais que l'amour crève avec nous !

L'ennemi ne tarda pas à profiter de l'aubaine. Il fit de tous ceux du château un carnage effroyable, jeta les corps dans les puits et mit le feu avant de s'en aller. Rien ne resta de rien comme promis.

Le dernier spadassin traversait la brèche et le fossé à sec retardé par le poids du butin et par l'ivresse. Il remonta de l'autre côté sans même se retourner. S'il l'avait fait, il aurait vu se lever une grande brassée de nénuphars et plus loin, se dresser un tas de feuilles mortes. Les nénuphars vinrent aux feuilles et les feuilles aux nénuphars. Puis tout cela se mit à marcher comme un seul paquet ou comme deux, ou comme un, ou comme deux, ou comme un...

TIREZ L'ORTEIL

JE te le dis encore, mon vieux Jonas, celui de nous deux qui mourra le premier reviendra une nuit tordre l'orteil de celui qui reste. Ça sera signe qu'après le cercueil, l'âme bouge encore.

Pour Jonathan, nul doute que son orteil serait tiré par Jonas. A vue d'homme, son vieil ami n'avait pas une santé de lutteur de foire. Sous sa barbiche jaunâtre et les rides de son cou, on sentait déjà l'os. Jonathan quitta donc Jonas en se frottant les mains. Le lendemain, il ne se les frottait plus.

Quand sa femme lui porta au lit son petit déjeuner, elle eut quelque excuse à laisser tomber le pot de miel et la tasse. Jonathan le bien-portant, ce joyeux Jonathan était déjà raide comme un clocher.

Jonas-cou-de-coq allait-il suivre les obsèques, gémissant et crachotant ? C'était mal connaître le bonhomme. Il resta benoîtement chez lui, loin des intempéries, et quand la veuve de son ami cria par la fenêtre :

— Tu n'as pas honte de rester là au lieu d'accompagner Jonathan ?

Jonas répliqua, sans discussion possible :

— Est-ce qu'il m'accompagnera, lui ?

La nuit suivante, Jonas fut beaucoup moins fier. La pensée que son orteil allait sûrement se tordre lui donnait de longs frissons de glace et ces frissons l'empêchaient de fermer l'œil. Son âme basculait entre la peur de sentir sur ses pieds les doigts d'un mort et la joie d'avoir enfin la preuve de l'éternité.

En proie à ces ruminations métaphysiques, il ne mangea plus, abandonna les parties de belote qui faisaient toute sa vie, et maigrit tellement que sa vieille peau tombait en plissé de couturière. On aurait pu faire des ourlets dans certaines de ses plus secrètes intimités.

Parfois, il s'éveillait en sursaut, croyant sentir bouger son orteil, mais rien. Et Jonas se disait : « Ce vieil imbécile de Jonathan est incapable de m'en vouloir longtemps de ne pas avoir suivi sa bière. Il a tellement le goût du sensationnel qu'il ne pourra résister une nuit ou l'autre, à me pincer le pied. Ou alors... » Ou alors, le néant !

Plus Jonas désespérait de survivre moins il vivait bien.

Sa peau plissa tant et tant que son contenu, âme comprise, fut de moins en moins bien gardé. Et comme un sac d'écolier perd ses billes, un beau matin, Jonas perdit la vie.

Pour sa toilette de mort, comme toujours, les volontaires furent de francs vivants pas hypocrites pour deux sous. En se racontant cette histoire d'orteil qui avait sérieusement rogné l'existence de l'ami Jonas, ils se tordaient de rire.

L'homme qui enfilait au mort son dernier pantalon pouffait tellement qu'il s'en affala sur une chaise. Soudain, souffle coupé, l'œil fixe, il vit l'orteil du mort s'agiter en tous sens.

On pourra discuter à perte de vie sur ces questions : Jonathan pris de remords tardifs avait-il accompli sa promesse ? Ou bien Jonas, d'une main froide et céleste, avait lui-même remué son orteil ? Les réponses sont incertaines. Contentons-nous de cette seule certitude terrestre : Jonas fut le seul mort de cette paroisse à porter le bandeau non autour du menton mais autour des pieds.

LA MORLAIDE

CETTE maladie frappa les hommes et les bêtes mais aussi les plantes et certaines pierres. Seul le ciel d'un bleu toujours pur pesait sur ce pays comme un grand linceul qu'ajourait le soleil.

On accusa le vent venu d'on ne sait où d'avoir soufflé sur les êtres et les choses une halcine pourrie. Et c'est vrai que les soirs venteux, les lacs de cristal devenaient des mares, les terres à blé des éponges molles où flottaient des touffes jaunes. Sur les routes charbonneuses, la pluie de Morlaide abandonnait des flaques malodorantes. A l'automne, les peupliers se couvraient d'écorces visqueuses et le printemps n'amenait plus que des fleurs molles et grises.

Les gens du pays, ne sachant dans quelle eau se laver, prirent l'habitude de rester sales, et comme on peut bien s'en douter, les institutions suivirent la décomposition générale.

L'argent pourrit les derniers Justes car seul, il n'avait pas d'odeur. Les ministres écœurés firent des lois inapplicables et l'armée ressembla bientôt à une bande de racketteurs et de fainéants qui traînaient dans les brumes des campagnes à la recherche d'un mauvais coup. Les savants tentèrent de savoir si vraiment le vent de Morlaide entraînait la ruine du pays.

Ils se lassèrent dans leurs recherches. « Faute de crédits », dirent-ils. En vérité, ils ne croyaient plus ni en leur science ni en eux-mêmes.

Le chef d'Etat s'installa au sommet de la montagne, dans une habitation aussi croulante que les autres mais dont les vents des cimes nettoyaient du moins des odeurs.

Pili naquit dans un quartier qui menaçait de s'effacer sous la boue et les immondices. Dix ans après, il était aussi sale que les enfants de son âge mais il avait envie de vivre.

Il chantait. C'est dans les peuples désespérés qu'on chante le mieux. Il ne semblait pas voir sa ville mais une autre, loin derrière ou loin dedans. Et surtout, il attendait.

Tout en serait quand même resté là s'il n'avait habité près de la cathédrale. Une nuit, couché sur le parvis, il rendait leurs clins d'œil aux étoiles quand il entendit la grande nef craquer. Il courut dans l'abside pour voir un pilier rongé par la Morlaide s'affaisser. Le clocher s'ouvrit de bas en haut et l'énorme cloche que retenaient deux poutres malades, effondra escaliers et arcs de voûte avant de venir coiffer le garçon. Il était temps ! Des monceaux de pierres, de frises et de statues s'effondrèrent sur le bronze qui le protégeait, en un vacarme digne de l'aboiement du diable.

Quand revint le silence mortel du pays de Morlaide, Pili s'appuya contre les murs de sa prison. Ils étaient lisses, frais et doux sur le front. Ni crasse ni rouille ni odeur. Là-haut, caché dans le clocher, le gros bourdon avait résisté à la malédiction générale. Grattant et creusant toute la nuit, Pili réussit à sortir comme une taupe au milieu des décombres de la cathédrale.

La foule des oisifs loqueteux tournait autour des ruines et le maire regardait ce nouveau désastre d'un œil morne.

On raconta que la veille, le vent de Morlaide avait soufflé.

Pili n'osa pas dire qu'avant le désastre, le ciel était comme un panier d'étoiles. Il n'y avait pas un souffle.

Il revint dans le bronze frais de sa cloche et décida d'en faire sa maison. Là-dessous, rien ne pourrissait. Les pluies de printemps chantaient sur le bronze. Quand le tonnerre, dehors, plantait ses couteaux de feu dans les terres comme dans une charogne, ici il faisait très gravement résonner la cloche.

Le vent qu'on disait de Morlaide caressait le métal d'un son si doux et si naïf qu'on aurait dit les notes d'un ocarina.

Pili cachait bien son bonheur, et tout en serait encore resté là si une nuit, pour s'amuser, il n'avait balancé le battant de sa cloche. Le bronze rendit un son très grave. Les fenêtres s'ouvrirent et les gens attendirent jusqu'à l'aube. Ils dirent :

— Pili, qu'as-tu fait dans ta cloche ?

— Moi ? Mais rien !

La nuit suivante, il sonna quelques bons coups. Depuis leur lit, les gens écoutèrent le son tout propre. La nuit d'après, il carillonna si fort qu'on l'entendit sonner jusque dans les campagnes. Les alouettes que la Morlaide avait rendues muettes, répondirent. Les enfants demandèrent ce qu'était cette musique qui passait dans le vent sans se gâter. Et les vieux, étonnés, se souvinrent soudain de la beauté.

Les nuits qui suivirent, Pili sonna à toute volée.

Le Chef d'Etat dans sa montagne en perdit le sommeil. Il décida de tenter de rebâtir une tour pour la cloche. Au milieu de la ville lépreuse, on creusa. L'eau affleurait au sol. On traça un long canal pour assécher les fondations et la Morlaide ne toucha pas plus au bâtiment qu'à la musique.

Du coup, on fit des fossés partout, et la cloche, de nuit et de jour, encourageait les pioches. Le marais s'écoula, les bâtiments séchèrent au point qu'on put les chauler tout de blanc.

Les routes durcirent, les blés montèrent aussi haut qu'avant.

Ainsi donc, Morlaide la terrible n'avait jamais existé ?

Elle n'était qu'une montée des eaux sous un pays trop plat ?

L'état se fit plus fort et les lois moins barbares. Les comédiens moquèrent les crasseux et la manie du blanc fut la nouvelle folie.

On en passa même entre les pavés.

Le plus étonnant fut que, sa cloche hissée dans le ciel, on n'entendit plus jamais parler de Pili. Se fit-il, comme certains l'affirment, fondeur de bourdons ? Ou musicien ambulant ?

D'autres disent qu'il finit très pauvre, un soir de mai, quand les carillons volaient sur la ville blanche pour rappeler la mort de Morlaide.

M'AIMES-TU ?

QUAND on décida de les marier ils avaient bien trente ans à eux deux.

On leur expliqua sèchement que cette union était politique et que l'amour viendrait avec le temps. En l'attendant, il leur faudrait régner à la place du roi défunt, donc lever l'impôt, juger de tout, et faire taire les chamailleries du palais. Après deux ans de ces corvées, le prince s'amusait à chasser, la princesse à inventer des jardins, mais d'amour, point. Les époux ne manquaient de rien et se sentaient manquer de tout. Ils déjeunaient genou contre genou et buvaient à la même coupe. Quand leurs mains se rencontraient pour signer le même édit, ils s'arrêtaient pour dire :

— M'aimez-vous enfin ?

— Je ne sais pas.

Pensant qu'ils trouveraient dans la fuite ce qui leur faisait si cruellement défaut au palais, ils s'échappèrent une nuit, déguisés en pèlerins. N'était-ce pas, en vérité, un pèlerinage qu'ils allaient faire ? Mais ne connaissant pas leur chemin de Compostelle, ils marchèrent au hasard toute la nuit.

— M'aimes-tu ?

— Et toi ?

Au petit jour, ils arrivèrent au bord d'un fleuve dont un vieillard nonchalant desservait le gué.

— Peux-tu nous faire traverser ?

— Traverser quoi ?

— Le fleuve.

— C'est donc le fleuve que vous voulez traverser ?

— Puisqu'on te le demande !

— Ah ?

Le vieux cligna de l'œil.

— Vous êtes de drôles de pèlerins.

— Pourquoi ?

— Parce que vous avez oublié en vous déguisant de changer aussi vos chaussures !

Ils regardèrent leurs souliers vernis et rirent de bonne grâce.

— Que voulez-vous vraiment ?

— Nous voudrions nous aimer.

— Aimez-vous !

— Comment nous aimer si nous ne nous aimons pas ?

— Unissez-vous comme deux royaumes.

— Nous ne sommes pas de terre.

— Prenez la même loi.

— Amour ne fait pas loi.

— Sois le soleil et elle le nuage.

— Nous sommes de chair, et non de ciel.

— Ayez des enfants.

— Sans amour nous n'en voulons pas.

— Je n'ai jamais vu pareille innocence.

— C'est contraire à l'amour ?

— Pour une fois je ne crois pas.

Et le vieillard trempa son gobelet dans le fleuve.

— Voilà l'eau pure de l'amour. Qui a soif en boira et qui en boira aimera.

Le jeune homme prit le verre mais dès qu'il y trempa les lèvres, l'eau se renversa. La jeune fille courut le remplir au fleuve mais l'eau refusa d'entrer dans le gobelet. Ils se jetèrent avec le verre en plein courant mais les eaux reculèrent. Le vieux riait toujours sur sa berge.

— Ce miracle est trop grand pour qu'il ait menti, dit-elle.

— Ce verre à la main poursuivons le fleuve. Un jour ou l'autre, il nous cédera et nous nous aimerons.

Ils marchèrent au-devant de la grande muraille transparente où les poissons des profondeurs, étonnés, venaient voir le jour, mais toujours l'eau fuyait devant eux. Ils marchèrent à pieds secs parmi les carcasses de navires, les squelettes, les vieilles armes et les vieilles outres, tout ce qui restait des guerres de leurs pères. Mais plus ils remontaient son lit plus le fleuve reculait. Ils traversèrent des marais pleins de moustiques, de sangsucs et de serpents. Ils escaladèrent d'anciennes cascades puis de longues gorges, et l'eau se retirait toujours. Pour rien au monde ils ne se seraient quittés mais quand ils se demandaient :

— M'aimes-tu ?

La question restait encore et toujours sans réponse.

Le fleuve devint mince torrent aux flancs d'une montagne d'ardoise bleue. Ils coururent au fond de précipices que le soleil n'avait jamais visités. Un jour, comme un petit animal sauvage, l'eau disparut dans un trou plein de mousse. C'était la source, le terrier des eaux.

Ils y plongèrent ensemble leurs bras et leurs mains se retrouvèrent dans une petite cavité, une sorte de chambre fraîche et encore humide.

Leurs doigts se cherchèrent et se trouvèrent, comme font les petites bêtes de nuit. La caresse vint, bientôt rendue. Ils se regardèrent toujours graves et sérieux, mais ne se posèrent plus « la question ». Entre leurs doigts l'eau remontait. Elle revenait du plus profond des terres, à la fois forte et faible, douce et violente. Soudain, elle jaillit hors du trou en les éclaboussant joyeusement. Heureux et

54

trempés, main dans la main, ils coururent dans le torrent à sec mais cette fois, le flot les poursuivait en bondissant. On aurait dit un troupeau de levrettes de cristal.

Ils refirent tout le chemin avec le torrent, puis la rivière, puis le fleuve à leurs trousses, grande muraille bleue en équilibre sur leur tête.

Quand ils furent à l'endroit où le vieux avait parlé, ils le virent toujours assis sur son banc. Il leur cria :

— Sur la rive !

A peine y mettaient-ils les pieds que la muraille liquide s'écroula, emportant tout sur son passage. Ils se jetèrent dans les bras du passeur.

— Vous vous aimez ?

— Oui.

— Je vous donne ma barque.

— Et toi ?

— Vous me rendez ma coupe.

Le vieil homme entra dans les eaux jusqu'aux genoux, à la ceinture puis aux épaules. Il leur fit un signe amical et ils le virent, le bras levé tenant la coupe, descendre vers la mer immense.

SOUS L'AMANDIER DE GRENADE

AU-DESSUS de Grenade plane le soir un grand rêve blanc : les neiges de la Sierra Nevada. Ruiz, le petit gardien de moutons les regarde jusqu'à la nuit noire. Il voudrait ne jamais dormir, s'enfoncer dans le soleil comme dans un cercueil vide.

Demain, à peine à l'école, ses compagnons vont crier :

— Tu sais, cette nuit, j'étais garde-chasse... et moi, mouette... et moi, les amis, j'avais une couronne grosse comme une roue de camion !

Et Ruiz s'en ira pleurer dans le figuier

car si ses journées ne valent pas grand-chose, ses nuits ne valent rien. Il s'endort à regret, agacé par les puces à chien et par la clochette du bélier qui même bourrée de paille n'arrête pas de tintinnabuler. Il sait que demain il s'éveillera comme la mort se hisse hors du néant.

Sans un songe. Sans même le souvenir d'un songe. Ah, rêver ! Rêver !

Un jour, n'en pouvant plus, il décide de ne plus descendre à l'école pour rester vivre avec les bêtes, là-haut, aux limites des neiges. Il ne rêvera pas plus qu'ailleurs mais il regardera rêver la montagne blanche de givre et de lune.

Passe une année où rien ne s'arrange. Ruiz est toujours aussi infirme. Ah, qu'il devienne sourd ou aveugle ! Ces infirmes-là, on les voit, on les aide ! Mais s'il parle de son manque de rêve, on se contentera de le montrer du doigt.

Quand son feu de brandes s'allume, quand son chien grogne, visité par des fantômes pour chiens, Ruiz est encore plus triste qu'à l'école.

Avant de s'endormir, il pense de toutes ses forces à des aventures extravagantes, il les rassemble devant son sommeil comme des moutons monstrueux près de la porte d'une étable, mais sa nuit reste vide.

Le lendemain, Ruiz est triste comme un chien, les rêves du chien en moins.

Et voilà qu'une nuit où la lune ressemble, dans les longues tresses des nuages, à un bijou de mariée, Ruiz entend son chevreau préféré tirer sur sa longe. Il la rompt soudain et se met à courir dans les pentes de la Sierra. Ruiz part à ses trousses, mais quand il croit le prendre dans ses bras, en deux cabrioles l'animal est plus loin.

Il franchit les pâturages, les cascades, les rochers et les ravines en quelques bonds. Il traîne Ruiz à sa suite, comme s'il voulait lui faire mériter ce qu'il va lui montrer. C'est par un sentier inconnu qu'ils arrivent au jardin nommé Generalife, sous les murs rouges de l'Alcazar, si près du palais qu'on entend les jets d'eau et les chants des femmes sur un air de guitare. Ici, la muraille se referme.

Cette fois, le chevreau ne lui échappera plus ! Ruiz saute une dernière haie de lauriers roses... et plus de chevreau. Rien qu'un amandier dont les racines fument ! Elles fument et personne à Grenade n'a jamais vu ni source chaude, ni volcan, ni racines de feu dans le Generalife. Ruiz se glisse pourtant dans le trou de la souche où est entré le chevreau. Il le poursuit dans une galerie mauve hérissée de stalactites ocres et violets comme celles que les artisans firent pendre aux plafonds de l'Alcazar.

Soudain, sept hommes assis lui barrent le passage. Devant eux, un chien de paille. Le chevreau saute. Ruiz craque une allumette et la jette sur le chien. Quand il n'est plus que cendres, les hommes ont disparu.

La galerie devient très vaste et de ses profondeurs monte un bruit de forge. Le chevreau bondit dans une immense salle au sol de verre flambé, teinté de veines bleues et vertes. Les forgerons ne battent pas le fer mais travaillent des fumées de toutes teintes et de toutes formes. Ils les pétrissent, les effilent, les malaxent avec acharnement.

Et ces vapeurs deviennent des objets

étranges, des bêtes bizarres, des arbres jamais vus que leurs bras puissants jettent vers la voûte où tout disparaît dans une gigantesque cheminée.

Ruiz avance sur ce miroir noir. Il s'étonne que son ombre soit celle d'un homme qui dort. Il tousse très fort pour qu'on le remarque mais les forgerons ont bien d'autres soucis que de lorgner vers un berger. Ruiz en tire un par la manche.

— Que fais-tu là ?

— Je forge les rêves d'Antonio le tailleur. Si tu m'arrêtes, il se réveillera très mal.

Et Ruiz, fou de joie :

— Tu forges des rêves ?

— D'où sors-tu ? Bien sûr que je forge des rêves. Tu crois que c'est drôle et facile de forger des rêves ?

Et Ruiz se rengorge d'être le premier à voir les rêves des autres.

Il regarde quelque temps forger les songes d'Antonio, pauvre tailleur en vérité qui n'a jamais réussi à faire deux manches de la même longueur. Ici, on lui fabrique des robes de soie, des capes d'or, des chapeaux d'astrakan.

— Pourquoi forges-tu des rêves ?

— Il n'y a pas d'homme sans rêves !

— Et moi ? crie Ruiz.

— Vas-tu me laisser finir cette toque d'hermine ?

Le forgeron crache des fumées à la face de Ruiz qui pousse plus loin dans la salle.

Là, un petit forgeron à la tête énorme s'acharne, suant et soufflant. Les rêves sortent de ses tenailles, de ses palettes et de ses mains, comme les animaux d'un manège infini.

— Pour qui travailles-tu ?

— Pour le bouffon, pardi ! Si tu veux ma place, je te la laisse mais ne m'arrête pas, je suis déjà en retard.

— Pourquoi le bouffon rêve-t-il tant ?

— Parce que c'est le plus malheureux des hommes.

— Pourquoi est-il le plus malheureux des hommes ?

— Parce qu'il n'aime pas rire.

— Mais il ne fait que ça !

— Ne me donne pas de leçon. Je fais ses songes, je sais qu'il n'aime pas rire !

Au centre de l'immense salle, Ruiz voit un forgeron géant.

Les formes qu'il pétrit entre ses mains noires ressemblent à des hommes mais ne le sont pas. Ruiz, en s'approchant, s'étonne que ce forgeron-là ne fasse que des forgerons.

— Que fais-tu ?

— Des dieux. Tu viens de me faire perdre un bon siècle.

— Qui t'a forgé toi-même ?

— Il faudrait une éternité pour te répondre.

— Tu peux au moins me dire pourquoi, seul à Grenade, je ne rêve pas ?

— Poursuis ton chevreau.

— Où est-il ?

— Dans les sables rouges.

Ruiz attrape le chevreau dans un lieu obscur et clair comme une nuit d'étoiles. Ici pas une vapeur, pas une brume. Un forgeron maigre et pitoyable est enfoncé jusqu'au cou dans un sable épais comme du sang. Sur ses yeux tristes à mourir, son front sue à grosses gouttes. Ruiz, soudain, sent monter dans son cœur un grand amour pour ce pauvre diable. Il embrasse ce front qui dépasse à peine du sol.

Il lui chuchote :

— Qui es-tu ?

— Je suis toi.

— Que fais-tu ?

— Je ne peux pas te faire des rêves.

— Et si je t'aidais ?

— Va-t'en, tu ne pourras rien contre les sables rouges.

— Nous allons voir !

Ruiz creuse à pleines mains, mais le trou se comble au fur et à mesure. Il revient vers la grande salle.

— Aidez-moi !

— Chacun son rêve !

— Vous qui savez tout faire, faites-moi au moins une pelle !

Le rire est général.

— Un coup de main ou je casse tout !

Et Ruiz se saisissant d'une pioche se met à faire un grand saccage parmi les formes. Pendant ce temps à Grenade, tout le monde tourne et retourne dans son lit, en proie aux cauchemars.

— Appelle ton chevreau, petit voyou ! crie la foule des forgerons.

Le berger siffle, comme il fait sur la Sierra, deux doigts entre ses dents et la langue au palais pour affiner le son.

Et voilà le chevreau qui jaillit d'une grotte. Il se jette sur le sable, gratte de devant, gratte de derrière, et fait voler une telle poussière que les forgerons grognent encore.

Quand tout s'éclaircit, le forgeron de Ruiz est sorti de sa fondrière. Comme un malade qui n'espérait plus vivre, il se rue sur toutes les fumées et taille et coupe et martèle à une telle allure que ses inventions bousculent toutes les autres. Là-haut, on tombe du lit, on se réveille en criant. En bas, les forgerons se jettent leurs fumées.

Le chevreau, à petits coups de cornes, pousse Ruiz vers le souterrain. Le petit berger brûle au passage une couleuvre de paille, saute sept gisants, sort entre les racines de l'amandier, remonte les pentes jusqu'aux limites des neiges, se jette dans la paille de la bergerie, et s'endort épuisé.

Tout ce qu'il a pu rêver entre ce moment-là et l'aube emplirait des bibliothèques. A peine éveillé, il éclate de rire.

— J'ai dû rêver toute cette histoire, mais j'ai rêvé !

Il court à l'étable. Son chevreau est là, un simple chevreau qui lève vers lui ses grands yeux humides. Mais Ruiz soudain sent son cœur éclater. Les petits sabots de la bête sont pleins de sable rouge, et sa mère, les croyant blessés, n'arrête pas de les lécher.

LE COQ D'OR

SUR toutes les chapelles du pays, Il y a un gros oignon de céramique bleue qui luit sous le soleil comme le chignon de Dieu.

Mais à Vania, rien qu'à Vania, à la fine pointe du bulbe, juste avant l'aube, chante un coq d'or. Personne ne sait qui, jadis, l'a fixé là. Personne n'a jamais vu son mécanisme fameusement compliqué. Le sacristain, tous les mois, monte au clocher. Il dit qu'entre les pattes d'or du coq, pendent deux cordes qui soutiennent deux poids. Il suffit de les remonter pour que le miracle s'accomplisse. Quelques secondes avant que le premier rayon du soleil illumine les crêtes, le coq pousse son cri libre et vainqueur par-dessus les toits, les rues et les fontaines. Alors, la ville vit.

Ce fut en mai — je ne me souviens plus de l'année — que la grande révolution de Vania éclata. Les tyrans balayés, vinrent la joie folle et les danses. Un éclair de liberté dans un tonnerre de discours et de drapeaux. Si les mots étaient grands comme des chapelles, les promesses l'étaient plus que les cathédrales.

Mais les lampions éteints, vinrent les murmures. On fit taire les lèvres. Vinrent les cris. On bâillonna.

Quelqu'un hurla à la nouvelle oppression. On lui serra un peu trop fort la gorge. La liberté était devenue le jardin des chefs. Si le pouvoir de la liberté avait été grand, la liberté du pouvoir l'était plus encore. Adieu les fêtes, bonjour aux bruits de bottes, aux savates silencieuses de la police, et bientôt, aux fusillades à l'heure où chantait le coq d'or.

Il chanta un matin juste avant la salve, et le condamné, un jeune blondinet, lui

fit un dernier adieu de la main. Il n'avait
pas salué le Dieu de l'église mais seulement l'automate qui ouvrait l'aurore à
grands cris, comme une clef rouillée.
C'est le seul frère qu'il trouva ce jour-là,
avant de tomber dans sa nuit. Le peloton
le comprit, qui tira vers le clocher sa
deuxième salve. On entendit comme un
bruit de noisette entre les dents d'un
mort, et la boîte à secret éclata.

Sur l'oignon de faïence bleue roulèrent
les mille rouages de la merveille. Certains
restèrent accrochés aux tuiles, les autres
s'égayèrent au hasard des rues et des
places.

La nuit suivante fut sans histoire. Mais
les travailleurs habitués à s'éveiller à
l'heure du coq ne l'entendirent pas chanter. Ils ne virent pas non plus la moindre
lueur dans les persiennes. On se ren-
dormit. La sirène de l'usine, peu après,
déchira le ciel noir. On pensa qu'elle
aussi, malgré les sept heures à la montre,
s'était trompée. On se retourna sur l'oreil-
ler et on reprit son rêve.

Quand enfin, passées neuf heures, tout
le monde alluma sa lampe et ouvrit ses

volets sur la nuit, il fallut se rendre à l'évidence. Le soleil avait dû rester accroché quelque part derrière l'horizon. Un silence noir collait aux pavés de la ville.

Les policiers, les militaires et les politiques se réunirent en secret pour savoir ce qu'il fallait penser. Mais comment accuser le soleil de sabotage ou de désertion ?

On réunit le conseil de guerre, le conseil révolutionnaire et le conseil des polices, non pour savoir le pourquoi de cette nuit mais pour décider de ce qu'il faudrait en dire. Un esprit génial déclara que la nuit serait intégrée à la Révolution. On lui attribua un ministère et personne n'y trouva rien à dire.

Personne ? Un homme au moins avait sa petite idée : celui qui, lanterne entre les dents et l'échelle sur l'épaule, passait au peigne fin la moindre tuile du clocher et les moindres recoins des rues alentour.

Dès que la ville dormait, il se cachait pour surveiller le passage des patrouilles. Le dernier bruit de botte envolé, il balayait, fouinait en tout lieu où aurait

pu s'égarer la moindre pièce du coq d'or :
un boulon, une minuscule roue dentée,
quelques axes et pignons. Les plus gros
fragments du coq allaient dans ses tiroirs
secrets et les plus minuscules sur l'ar-
moire, au fond de boîtes d'allumettes.

Ce travail de fouine lui demanda un
bon mois. Quand il ne dénicha plus la
moindre roue il se mit à classer ses trouvailles, à essayer chaque poulie sur l'autre, à faire des petites maquettes en bois,
sous le regard émerveillé de son fils
Konia.

« Ce qu'un homme a fait, un autre peut
le refaire. Ce qui est vrai pour un coq
est vrai pour tout. »

C'étaient ses deux maîtresses phrases.
Mais il n'osait pas confier à son fils sa
troisième pensée : « Entre ce coq, l'aube
et la liberté, il doit y avoir un ressort
secret. »

Quelque temps après, il dit à Konia :
« Ceux qui cassent l'œuvre de l'homme ne
respecteront jamais l'homme. » Puis :
« Ce qu'on fait contre la beauté, on finit
toujours par le faire contre la justice. »

Et enfin : « C'est notre peuple, Konia,

qui avait fabriqué le coq d'or et nous voilà seuls toi et moi, pour le refaire chanter. »

Dix ans passèrent. Il confia ses trouvailles mécaniques et ses idées à l'enfant puis s'éteignit doucement un matin, en croyant voir l'aube aux persiennes.

Le policier qui vint constater le décès se trompa de porte.

Il entra dans l'escalier secret, s'amusa à faire tourner les roues et partit avec l'une des plus petites, « en souvenir du vieux fou ».

Il en parla à sa femme qui alerta sa voisine. Dès le lendemain Vania savait que le coq n'était pas perdu. Toute la ville en eut un pincement au cœur sauf les nouveaux tyrans qui, sachant à quoi s'en tenir sur l'espoir, n'y prêtèrent aucune attention. On continua à vivre dans le noir et dans la peur des basses polices.

Ceux qui passaient sous la lumière éternellement allumée de Konia n'osaient l'appeler. Mais, pour saluer celui qui se brûlait les yeux à remettre en place un rouage après l'autre sans même être certain que cela marcherait, ils sifflaient un joyeux cocorico.

La liberté la plus minuscule se voit aussi bien que la plus petite des lumières d'une bergerie perdue. Quand Konia, épuisé, s'endormait au milieu du puzzle de sa mécanique, le moindre sifflet le réveillait et il se remettait à l'ouvrage.

Il y eut donc désormais ceux qui croyaient et ceux qui auraient tant voulu croire qu'ils étaient encore plus impatients que les autres de voir leur coq au bout du clocher. Il y avait enfin les soldats et les juges : ceux-là, depuis longtemps, ne croyaient plus qu'en leur propre pouvoir. Alors, un coq chez un horloger...

Ils ne virent même pas que le peuple osait sortir aux heures interdites. On parlait à l'école. On criait cocorico devant les prisons.

La police pensa : « Mieux vaut pour le petit peuple rêver à un coq mécanique plutôt que de se poser des questions sur la nuit. »

Le fils de l'horloger avec ses doigts effilés, ses loupes et sa lunette coincée sur l'œil, pouvait travailler sans crainte d'un autre œil noir : celui des mitrailleuses. Il s'en donna à cœur joie. Souvent, dans sa boîte aux lettres, il trouvait de l'argent qu'on ne lui devait pas, et des larmes lui brouillaient la vue.

Vint enfin le moment de refermer les deux moitiés du coq sur les milliers de petites mécaniques bien en place. Deux ombres attendaient déjà dans la rue, leurs échelles sur l'épaule. Quand ils les appuyèrent contre le clocher, les gardiens blasés de la Révolution buvaient ou dormaient. Konia monta pieds nus sur les tuiles de faïence, son coq serré sur sa poitrine par un large baudrier de cuir. Il revissa l'automate sur la fine pointe de l'oignon, tira le remontoir et descendit aussi silencieux qu'un dénicheur d'hirondelles. Des vieillards, qui avaient connu la dernière aurore, l'embrassèrent. Les jeunes haussèrent les épaules, mais avec un tel désir de l'événement qu'ils en auraient fait miauler les chats.

Soudain, le coq chanta, le soleil sauta par-dessus l'horizon comme un cheval par-dessus la haie.

On cria, on dansa dans la lumière, on courut dans les rues, les mains sur les yeux éblouis. On hua la rumeur des bottes qui gagnait les champs, puis les frôlements des savates de la police qui fuyait.

Konia l'horloger fut porté en triomphe à la mairie. On le poussa au balcon, sur une foule en folie.

Il fit au peuple le même geste de la main que le jeune condamné du dernier jour et s'excusa. Il ne se sentait pas fait pour diriger sa ville. On pensa qu'il était intelligent en mécanique et idiot en politique.

En vérité, à peine rendu chez lui, il se remit à faire un coq de rechange.

LE BERCEAU DU SOLEIL

LE turban rouge du vieux Moshad se perdait dans la foule des turbans blancs comme un pavot au milieu des marguerites.

Au-dessus, le bouddha de Bamyan, colosse rctraité, regardait la plaine. Et Moshad brandit sa hache double, insigne des conteurs.

« J'étais seul, avant l'aube, aux sources de l'Helmend.

Vous le savez, paysans mes frères de la vallée, l'Helmend est le seul fleuve qui a une source et ne se jette nulle part. Il roule dans les pierres sans leur donner ni herbe ni arbre et se perd dans le sable rouge, loin dans le Sud !

J'étais là et j'ai vu, sur les draps du désert, le soleil mettre au monde un enfant. Tout l'horizon criait sa douleur et le sang coulait sur les dunes noires. J'ai entendu comme un mugissement de génisse folle, moi Moshad, et j'ai couru ramasser le nouveau-né dans le sable. Il était lisse comme sa mère l'azur et blond comme son père. Il m'a jeté une pierre énorme pour rire car il était mauvais et bon, simple et pervers, brûlant et caressant.

Ah paysans, voyez cette trace qui coupe mon sourcil gauche.

Croyez-moi à cause de cette blessure en plein front. J'ai pris le fils du soleil dans mes bras. Je l'arrosais de mon sang d'homme sans savoir qu'en faire. Son père dardait sur moi son œil borgne si brûlant de jalousie que j'ai dû mouiller mon turban pour ne pas me racornir et finir comme une bête perdue.

Près de là était une auge creuse qui ressemblait, comme tous les berceaux, à une barque. J'y étendis l'enfant, pensant que toutes mes forces ne suffiraient pas à remuer la pierre. Mais quand j'y posais mes mains, c'est elle qui me mena vers la source. Les eaux me volèrent le fils du soleil. Que faire, hommes de peu de foi, sinon courir le long du torrent et du fleuve. Je criai : « Le fils du soleil passe ! Portez-lui votre nuit, qu'il l'éclaire ! N'ayez pas peur, Patchouns et Hazaras, vous êtes de sa famille ! »

On ne m'écoutait plus. On ne suivait même pas le signe de mon doigt. Je sautais en l'air et jetais ma hache. Je faisais mille tours pour qu'ils approchent de ma parole, comme je fais pour vous.

Je criais sur la rive : « Non, vous n'êtes pas fils de vos tentes de cuir noir, ni de votre langue jaune de bétel, ni de vos troupeaux, ni de vos marchandages ! La plus lointaine étoile n'est pas faite d'autre matière que vos doigts et votre crâne ! Vous êtes fils, petit-fils et arrière-petits-enfants d'un orage ! J'ai sauvé le fils du soleil, je le fais passer parmi vous qu'il retrouve sa famille parmi les hommes, et ce sera sans doute la dernière fois.

Regardez cet enfant et qui l'aime vraiment le prenne et qui désire vraiment l'absolu s'en empare et le reçoive dans sa maison !

Mais vous êtes collés à la terre par habitude, lourds sur la terre par plaisir, et menteurs par aveuglement ! »

Moi, Moshad, j'ai vieilli le long du fleuve, mais ma chanson qui changeait avec l'âge, est restée la même.

« Soyez fous de soleil pour que la mort vous soit douce ! »

J'ai suivi la barque de pierre jusqu'au bout du fleuve et je l'ai vue se perdre dans les sables. Au crépuscule, le soleil s'est accroupi sur l'horizon. L'enfant a couru sur les gypses tranchants et son sang jaillissait jusqu'aux nuages. Il est rentré dans le ciel par le corps de son père et ce fut de l'autre côté du soleil, une autre naissance.

Bientôt, quand je mourrai, il ne vous restera que le souvenir de mes souvenirs. Mais regardez mes yeux, tant qu'ils sont ouverts.

Croyez-vous qu'on ait jamais vu des yeux aussi ensoleillés ? »

Ils ont donné quelques galettes à Moshad et le vieux est parti, sa hache double à la ceinture, ne sachant trop ce qu'il leur avait dit.

HISTOIRE AU POIL

JUSTE Barbe est le surnom que lui donnèrent les Catalans quand il se mit à prêcher dans le village de Taüll, face aux neiges du Beciberi. L'histoire n'a rien retenu de ce qu'il raconta alors, mais les plus vieux se souviennent encore de son rire et de sa barbe que le vent des Mulieres retroussait par-dessus son épaule.

Gageons que ce qu'il dit ne devait pas être très catholique car l'évêché l'exila en plaine, pensant qu'il s'y ferait oublier.

C'est là que Juste Barbe se révéla.

Ce qu'il prêcha ? : « Primo, quiconque

prétend commander doit se montrer capable de rire. » « Secundo, il devra raconter publiquement ses songes et se retirer du pouvoir dès qu'il lui manquera plus d'une dent sur deux. »

Ces idées inoffensives furent insupportables à ceux qui tenaient la moindre ficelle. Ministres, généraux, professeurs et concierges protestèrent énergiquement. La plupart ne savaient plus rire et cachaient soigneusement des rêves qui n'avaient rien à voir, apparemment, avec leur métier. Quant aux notables édentés, ils étaient persuadés qu'ils pouvaient pisser au lit tout en faisant massacrer des centaines de milliers de citoyens aussi bien que n'importe quel jeune ministre de la Guerre.

On insinua que Juste Barbe cherchait lui-même le pouvoir — ce qui est faux — et qu'il mitonnait une révolution — ce qu'il n'avait jamais caché. Car refuser la direction des affaires aux incapables, aux incultes et aux assassins, interdire l'enseignement à celui qui, chaque nuit, invente un crocodile pour manger un enfant, c'est décider que personne ne pourra jamais commander à personne.

On laissa Juste Barbe prêcher ses sottises, pensant qu'elles le ridiculiseraient. Mais sa popularité ne cessa de s'étendre.

Plus moyen de le liquider discrètement. Car ce n'est pas le moindre paradoxe qu'une foule puisse choisir un boucher alcoolique pour décider de sa destinée, mais descende dans la rue défendre le moindre poil de barbe de celui qu'elle aurait rêvé de se choisir comme chef.

Le maire de Lerida se contenta de mettre Juste Barbe à l'ombre pour le « protéger » contre des assassins. A ceux qui osèrent se plaindre, on répondit :

« La loi est pour tout le monde »... meilleur moyen légal pour jeter au trou les individus qui ne seraient pas tout le monde.

L'honnête notable comptait sur l'oubli qui finit toujours par avoir la peau des prophètes.

Juste Barbe, à peine enfermé, fit savoir aux autorités que pour sortir du trou, il se verrait obligé d'employer les grands moyens. On lui fit savoir par retour qu'il pouvait y aller.

Dès cet instant notre barbu se mit à rire. Oh, pas n'importe quel rire ! Un fou-rire tonitruant, perpétuel, dont on se demande encore comment il a pu sortir de poitrine d'homme. On lui fit dire qu'il ne gênerait que les gardiens, ce qui était évident, et que riant ou pas un prisonnier devient vite insignifiant, ce en quoi on se trompait.

Car la jubilation du vieil homme à être maltraité par un Etat imbécile le rendit si puissant et si plein de sève que son illustre barbe se mit irrésistiblement à pousser. A pousser jour et nuit, comme soie de porc. Elle encombra bientôt la cellule au point que le gardien-chef la donnait en spectacle à ses grandes et petites amies. Pour une fois tout le monde était d'accord.

Prisonnier, geôliers et visiteurs riaient à perdre haleine.

Cette prison devint la plus joyeuse de Catalogne, et cette barbe la plus généreuse d'Occitanie. Pour alimenter son heureux possesseur il fallait tous les

matins se frayer un chemin dans son poil.

Une nuit, la force de cette toison jointe à celle d'un éclat de rire énorme effondra la porte. Les gardiens accourus s'embarbificotèrent. Il fallut la journée pour dégager les malheureux.

Le poil enfin libre en profita pour dévaler les marches vers le tribunal. En pleine audience, trois juges et deux assesseurs furent évacués par les fenêtres avant qu'elles soient elles-mêmes embarbées. Le bon peuple de Lerida s'attroupait déjà sur la place pour voir jaillir de la cheminée une barbichette blanche que rebroussait le vent.

Comme cette plante qu'on appelle « misère », la barbe du Juste envahit tout, pendit de partout et surgit dans les lieux les plus officiels. On fit donner la police armée de ciseaux, de faux et de coupe-haies. Embarbousée, la police ! Lerida se couvrit d'une fine poudre de poils qui démangeait et faisait rire. On éternuait, on pleurait, on grattait. Aux sommations des sentinelles, on répondait : « La barbe ! » On était heureux.

Devant la panique des administrations,

la paralysie des transports et l'embarbe-
ment progressif de l'Etat, l'alcade décida,
ultime sottise, de jouer au héros national.
Il sortit de la mairie, le coupe-coupe au
poing et des rasoirs plein les poches, et
se dirigea droit sur la prison où le Juste
riait jour et nuit dans son poil. Son plan
était simplet. Pénétrer par la grande
porte (sous les applaudissements) et
chercher la racine du mal (le menton de
Juste Barbe) pour le raser de près.

Il disparut dans le couloir velu, une
semaine entière. On le revit un soir souffler à un vasistas avant de replonger dans
les profondeurs hirsutes et hilares.

Le soir de la Sainte-Barbe, il fut éjecté
comme un noyau par la fenêtre de la lin-
gerie tandis que par la grande grille,
sortait Juste Barbe souriant et rasé de
près. On le porta d'épaule en épaule, jusqu'au balcon de la mairie... Lerida n'étant
plus gouverné par des tristes, se passa
désormais de policiers, de psychiatres et
d'éducateurs.

Un grand ministère du rire engloba
l'Education nationale, le Sport et la
Santé. Enfin, fait unique dans les démo-

craties, fut créé le ministère de l'Intel-
ligence.

— Et cette masse pileuse, direz-vous ?
Elle fit tout naturellement la fortune de
la ville. On en confectionna des matelas
spéciaux pour amoureux et des cordes
de guitare pour les mêmes.

— Et cette histoire se passait quand ?
— A un poil près, il y a des lustres.

LE TRONE DE BASALTE

ILS disent à Myvatn qu'au fond du cratère de l'Askja, en plein milieu du lac, il y a un trône de basalte géant qui conviendrait aux fesses du diable. Qui réussit à s'y asseoir pourra prendre place sur n'importe quel trône de la terre, fut-il de bois, d'or ou de fer.

Cela se répète depuis des siècles. On voit parfois un Islandais blond et droit comme un Viking prendre la piste vers le Sud. Il ne revient jamais et sa mère est fière de cet enfant-roi qui doit régner en Europe, en Afrique ou aux Galapagos.

Eirik rêvait depuis toujours aux voicans, non parce qu'ils sont les plus grands citoyens du pays, rougissant et rugissant sous l'interminable nuit du Nord, mais plutôt parce qu'il se sentait leur frère. Lui aussi, dès que le crépuscule s'étirait pour couvrir les mois noirs, racontait à sa mère ses rêves de jeune homme.

Elle les trouva enfantins jusqu'au jour où il bourra son sac et mit sa plus belle veste.

— Où vas-tu, fils ?

— Vers le Sud.

— Quel Sud ?

— Le Grand, du côté de l'Askja.

— Qu'as-tu à faire de ce volcan ?

Eirik ne répondit pas et sa mère comprit que son fils, comme tant d'autres et des meilleurs, allait descendre vers le lac chaud pour trouver le Pouvoir. Quel pauvre n'a jamais rêvé que tout s'inverse en ce monde ?

Sa mère l'accompagna en silence aussi loin qu'elle put et quand Eirik s'éloigna sur la piste noire de la Sprengisandur, elle lui fit un dernier signe et garda longtemps son bras levé. Derrière son bonnet rouge, les laves brunes et déchiquetées se refermèrent comme des pinces de crabes géants. Alors elle pleura comme toutes les mères quand elles voient partir un fils avec la folie.

Après le lac Svartir, la piste était à peine marquée dans la boue de cendres. Le vent et la grêle n'en avaient laissé que des lambeaux. Parfois Eirik s'égarait dans les ravins croulants quand le chemin était plus haut. Parfois il cherchait à flanc, quand il aurait fallu prendre un gué, beaucoup plus bas. Deux poneys roux à l'immense crinière secouèrent la tête à son passage, en signe d'adieu. Eirik vit encore deux oiseaux au bec rouge et crochu comme un nez de clown, puis plus rien : de vieux sentiers tellement noirs qu'il semblait marcher sur la nuit. L'horizon était si plat qu'Eirik devait regarder ses jambes pour s'assurer qu'il avançait.

Les deux premiers jours, la terre était si froide qu'il ne put s'étendre. Il avait dû divaguer tout endormi car un paysage d'aube le surprit. Le sol semblait de sang séché. Aussi loin qu'il pouvait voir s'effondraient les ruines d'une immense briquetterie qu'un géant aurait écrasé à coups de talon pendant des siècles.

Au fait, Eirik ne marchait-il pas depuis des siècles ? Le fromage qu'il mangea d'un solide appétit le rassura. Au soir de la troisième journée, il découvrit une source bouillante auprès de laquelle il crut pouvoir enfin dormir. L'eau réchauffait le sol à dix mètres, mais son crachin brûlant l'obligea à changer de rive dès que le vent tournait. Son sommeil s'emplit de flammes et de désastres. Il n'attendit pas l'aube pour descendre le long de la rivière jusqu'à trouver une eau assez tiède pour s'y baigner. Assis sur le bord d'un grand lac dont les eaux rouges clapotaient à perte de vue, il se demanda ce qui pouvait bien le pousser vers l'Askja ?

Peut-être un ennui fou ? Peut-être une folie d'amour ?

Très loin, sous l'aube rose et verte, l'horizon se releva.

Il semblait piquer le ciel d'une pointe de harpon. L'Askja !

Eirik courait presque, et le volcan surgissait en plein désert, comme le dos d'un fauve souterrain prêt à bondir. Il fallait choisir son chemin parmi les grands pantins de basalte du Dyngjuf-jollytri, dont les laves formaient d'énormes gueules prêtes à hurler. Mais cela rendit à Eirik sa confiance en lui-même, en son volcan, comme en l'histoire du trône. Toutes ces confiances se tenaient de mains de fer, en une danse sacrée. Eirik montait sur la bête. Mais plus la pente se redressait, plus le sol devenait fragile. Sa croûte brune crevait sous les talons. Une plaque entière se détachait parfois, l'entraînant vers des abrupts. Comme il rampait sur ces pentes brûlantes, une poussière au goût acide desséc ha sa gorge.

Sa gourde était depuis longtemps vide car l'eau qu'il avait rencontrée était pourrie de soufre. Après les folies de l'épuisement celles de la soif. Ses pieds saignèrent sur des sols ardents puis sur des versants de glace. Pas plus qu'en plaine, il ne put dormir.

Au matin du cinquième jour, devant ses yeux noyés de larmes il ne vit plus le sol mais le ciel. Quelques pas encore et il se redressait sur l'immense couronne du volcan. Il criait de joie.

Non, les anciens n'avaient pas menti. Dans les profondeurs clapotait un lac rond comme une pupille avec au milieu un fauteuil de rêve, et deux cygnes sur son dossier. On s'attendait à débarquer en enfer et on abordait le paradis : plus de lave rouge, ni de fumées, pas de soufre ni de gaz mortel. Seulement un lac noir, deux oiseaux blancs et le silence. Eirik se laissa glisser jusqu'à l'eau douce et tiède, pleine de reflets comme la trémie d'un chercheur d'or. Il se déshabillait pour nager vers le trône quand les deux cygnes poussèrent vers la rive leurs barques jumelles.

Il posa un pied sur leur col et les oiseaux le portèrent, d'une longue glissade, jusqu'au trône où il s'assit aussi simplement qu'à la maison pour manger son dernier saumon fumé.

Là-haut, l'immense corolle neigeuse du volcan. Au-dessus, le ciel.

A ses pieds, le lac. Eirik hurla des mots que l'Askja lui renvoya, mille fois plus graves. Il n'avait jamais crié aussi facilement.

La source de vie qu'il cherchait depuis longtemps avait trouvé sa bouche et coulait à flots.

« Je suis le rêveur, je suis le maître du monde ! Terre, tu peux trembler, tu peux rugir, Askja, mon rêve te dépasse ! Je suis le maître du désert ! J'y porte ma folie. Askja, je suis venu à toi pour rien, rien que pour te le dire ! On peut tout me voler. Mes forces, ma liberté et ma vie mais non ce songe fou, ce cri fou après cette marche folle ! »

Il clamait ces mots et les échos reprenaient sa voix, à faire trembler la montagne. Ils ébranlèrent le trône et la terre. Soudain le lac se mit à baisser, comme bu par la gueule de l'Askja.

Les cygnes s'envolèrent lourdement. Le trône trembla. Eirik criait toujours sur une énorme bulle. Le fond asséché du lac se plissa comme la mer qu'agite une tempête lointaine. Des grondements de plus en plus proches répondirent à ses cris. L'Askja aussi faisait un songe et la terre rêvait par sa gueule.

Mais le garçon n'avait pas peur. Il ne sentait qu'amitié pour ces laves qui poussaient sous la croûte et le hissaient vers le bord du cratère. Folie des profondeurs comme la sienne même !

Le menton sur le poing, Eirik se tut pour écouter le chant de la montagne.

Tout à coup, l'explosion. Il sentit son corps monter en plein ciel. Il ne souffrit même pas, étonné de faire un songe avec la terre.

Tout le reste est oubli.

LES TROIS ECHELLES

NICEFORO s'éveilla comme toutes les nuits, l'estomac tordu par la faim. Il pensa à sa mère qui n'était jamais là, à son père mort dans les cannes à sucre et à son frère enlevé par les soldats parce qu'il avait craché par terre à leur passage.

Il pensa à sa favella, à ses cabanes de tôles et de bidons où il n'y avait jamais assez d'eau pour se laver, et bien trop quand des tornades subites ensevelissaient les familles sous des monceaux de bâches, dans la boue. Il pensa à la Justice, dont on parlait moins que de Dieu, et qu'on ne voyait pas plus souvent.

Ce mot de justice, on ne le prononçait plus depuis qu'un étudiant, venu le crier jusqu'ici, avait été retrouvé pendu par les pieds et du sang plein la bouche.

Niceforo étendit la main vers son ami, un lapin qui couchait sur ses savates. Mais au lieu du poil chaud, ses doigts touchèrent une barre froide et lisse. Il sauta hors du grabat et ses yeux s'écarquillèrent. La lune, à l'aplomb de sa bicoque, éclairait une échelle de bois plantée au milieu du sol et qui sortait à travers toit. Il alluma sa chandelle. L'échelle était rouge. A son pied, un grand sac, de ceux que portent les touristes Gringos, ces richards d'Américains qui vont sur les montagnes « pour le plaisir ». Ce sac valait plus que sa maison et semblait neuf. Sur le rabat, en lettres dorées, était cousu le mot « Justice ».

Niceforo bloqua vite la porte avant de regarder ce que cette justice-là avait dans le ventre. Rien qu'un fouet, un maillet, une poêle à frire et une tenaille aussi rouge que le reste. Sa trouvaille sur le dos, le garçon fit plusieurs fois le tour de la pièce en marchant au pas. Il rêvait

— ô miracle — que l'étranger qui avait perdu le sac était mort ou parti pour le Pérou. Il se hissa de deux barreaux sur l'échelle pour crier au lapin :

— Ecoute, muchacho, Niceforo n'a plus faim. Niceforo a un sac rouge et une échelle de bois. Niceforo est debout sur un balcon d'argent et il crie « Justice » !

Sur ce, il s'élevait de plusieurs barreaux. Quand sa tête dépassa le toit de tôle, il faillit en dégringoler d'étonnement : l'échelle, la belle échelle de chêne, continuait si haut en plein ciel qu'on n'en voyait pas la fin.

— Pourvu qu'elle soit appuyée sur du solide !

Et Niceforo se hissa. En bas, Sao Paulo. La marée des toits de bitume plongeait dans le bleu des fumées. Au loin, la lune n'avait d'œil que pour le sac rouge.

Un miaulement soudain déchira le ciel. Deux ou trois barreaux plus haut, un chat énorme et vert menaçait Niceforo de ses griffes ouvertes. Le matou fit un salut militaire impeccable et lissa ses moustaches.

— Police ! Le mot de passe !

— Je vais chercher la Justice, dit Niceforo.

— La Justice ? Mais c'est beaucoup
plus haut ! Je veux le mot de passe !

— Je ne le sais pas.

— Redescends dans ta pourriture !

Niceforo sortit le fouet du sac et monta
doucement vers le chat. Quand il sortit
ses griffes, la lanière partit.

Une balafre rouge fouailla la bête qui
plongea dans le vide avec un affreux
miaulement.

Après le barreau du chat, le bois de
l'échelle devenait acier. Elle luisait, aussi
belle que celle des pompiers, et ployait
à chaque geste. La vaste et belle ville
s'étendait sous les pieds de Niceforo
avec ses palais de verre et ses gratte-
ciel. Dans ces quartiers-là, le garçon
n'avait jamais osé s'aventurer. Mais au
bout de l'échelle d'acier, un énorme gong
fermait le ciel. Encouragé par sa victoire
sur le chat, Niceforo osa crier :

— Que fais-tu sur mon échelle ?

Le gong vibra si fort que l'enfant dut
s'accrocher de toutes ses forces.

— Je fais de la publicité. Tu ne m'intéresses pas. Redescends t'excuser auprès du chat.

— Je cherche la Justice.

— Je résonne pour tout mais pas pour ce mot-là.

— On va voir !

Niceforo sortit le maillet et martela le gong de si bon cœur que le cuivre se décrocha et suivit le chat dans le vide.

L'échelle était maintenant en argent. Dans le lointain, Niceforo vit des montagnes de neige que les vieux disaient avoir traversées par une année de famine, de neige si éblouissante qu'il donna de la tête dans une grosse chose molle.

Il se frotta les yeux. Mais oui ! Une paire de fesses lui barrait le passage, mais quelles fesses ! Elles faisaient craquer leur culotte bleue. Une tête dépassa.

— Alors, ventre-creux, dit une bouche pleine, que viens-tu faire dans ma cuisine ?

— Des beignets.

— Ah ah, des beignets ! Avec quoi vas-tu faire des beignets ?

— Avec cette poêle.

— Je te demande avec quoi ?

— Laisse-moi d'abord ta place !

— Pas avant que tu me dises où tu vas ?

— Je monte à la Justice.

— Tu crois qu'on la laisse aux crève-la-faim, la Justice ? Vous croyez qu'elle se nourrit d'amour et d'eau fraîche, notre Justice ?

— Je lui ferai les plus beaux beignets de la terre.

— Je voudrais bien voir !

Niceforo nettoya sa poêle avec un nuage qui passait. Il y jeta une poignée d'étoiles. Elles gonflèrent aussitôt. Une odeur emplit le ciel.

— Donne-moi ça ! Un crasseux n'a pas le droit de manger des beignets d'étoile !

Quand l'homme ouvrit sa gueule, Niceforo y vida sa friture bouillante. Le cuisinier se tordit de douleur et tomba lui aussi dans le vide.

Niceforo grimpait maintenant à une échelle d'or. En bas, sur la courbe bleue de l'océan, des cargos et des steamers se déplaçaient comme des plumes blanches. Le garçon s'étonna de voir la terre flotter comme un édredon avec les ourlets d'au-

rores perpétuelles. On ne le laissa pas longtemps rêver. Un rire sarcastique éclata. Il leva le nez et reçut des cendres brûlantes dans les yeux. Un homme très maigre, là-haut, tirait sur un cigare énorme. Une casquette blanche cachait presque ses yeux.

A chacun de ses doigts un diamant lançait ses éclats.

— Adios, Niceforo.

— Tu me connais ?

— Mieux ! Je t'attendais ! On m'envoie des rêveurs comme toi, de temps en temps, pour me distraire. Ainsi, toi aussi, tu cherches la Justice ?

— Bien sûr !

— Tu es arrivé jusqu'au dernier barreau de l'échelle. Bravo ! La Justice, c'est moi.

— Tu mens !

— Le pouvoir m'a placé depuis des siècles au-dessus du chat, du gong et du cuisinier !

— Et moi, j'ai encore dans mon sac cette tenaille rouge !

— Ils t'ont aussi donné la tenaille ?

Dans ce cas, mon garçon, je n'ai plus rien à te cacher.

Il ôta son couvre-chef, s'épongea le front et fit signe à Niceforo de passer.

Au-dessus de l'homme à la casquette, plus d'échelle d'or mais une corde à nœud. La terre luisait comme un œuf bleu, mais Niceforo n'avait plus le temps de s'émerveiller. Il se hissait de nœud en nœud. Ses doigts gelés saignaient. Ses mains buttèrent enfin sur un clou énorme. Après, plus rien.

— Montre-moi la Justice ! cria le garçon.

La voix éteinte de l'homme au cigare répondit :

— La Justice, c'est d'arracher le clou !

— Mais si je l'arrache...

— Tout va tomber sur la terre, sens dessus dessous.

— Et toi ?

— Je suivrai le chat, le gong et le cuisinier.

— Et moi ?

— Je ne sais pas. Non vraiment, je ne sais pas.

Le rire du grand maigre fit vibrer la

corde et Niceforo n'osa plus regarder en bas. Des sueurs d'angoisse empoissaient ses mains. Ainsi, pour avoir la Justice, il fallait risquer cette chute affreuse ! Pour faire la révolution, il fallait jeter l'homme au cigare dans le vide mais tomber avec lui ? Niceforo décida d'arracher quand même le clou, mais de se reposer avant.

Il redescendit lentement jusqu'au vieux maigre qui lui souffla en plein visage une longue bouffée de son cigare.

— On redescend ?

— Je ne sais pas. Que se passera-t-il si je ne décloue par cette corde ?

— Tout continuera comme d'habitude. Tu retrouveras ton lapin, ta favella et ta misère. Tu attendras une heure devant le robinet pour avoir ton seau d'eau mais tu pourras chanter. Puis un jour, comme ton père, ton grand-père et ainsi de suite, tu couperas la canne à sucre et tu joueras au loto en espérant devenir riche.

Mais à mon avis, tu peux faire beaucoup mieux. Je t'ai vu à l'œuvre avec mon chat, mon gong et mon cuisinier. Si tu descends tout de suite, tu trouveras en bas une place de porteur de télégramme.

Comment savait-il que Niceforo rêvait de porter les télégrammes ? Ah, courir au milieu des beaux immeubles, sonner, donner son billet bleu plein de nouvelles importantes !

Il descendit. Les barreaux semblaient fondre au fur et à mesure. Le gros homme qui se gavait de beignets lui cria, la bouche pleine :

— Ma poêle !

Niceforo rendit la poêle. Le gong lui demanda le marteau et le chat, le fouet.

— Alors, dit le matou, on a eu peur de tomber, de tout casser, de perdre sa petite vie, son lapin et son toit de tôle ? Mal joué !

Niceforo se pencha. En bas, tout avait brûlé.

L'armée avait mis le feu au bidonville en prenant prétexte du vol d'un sac, d'un fouet, d'un maillet, d'une poêle et surtout d'une paire de tenailles rouges.

Des centaines de réduits, de bidons et de bâches, il ne restait plus rien. A peine, Niceforo eut-il remis les pieds à terre, que l'échelle disparut. Là-haut, il crut entendre rire, miauler et jouer du gong. La faim qu'il avait oubliée, lui serra à nouveau l'estomac.

Il s'assit sur les débris fumants de sa baraque, prit son lapin sur ses genoux et se mit à pleurer.

LA LEZARDE

ON a condamné le vieux Sun au mur, pour avoir mal enseigné son Prince. Dans ce pays, le condamné au mur doit rester toute sa vie devant la même façade, sans bouger, sans se retourner.

La nuit seulement, il pourra s'étendre et dormir par terre sous un toit. Pauvre Sun, lui qui aimait si fort la mer qu'il pouvait passer des heures à regarder son tissu noir découpé par la lune, lui qui parlait des mouettes comme de mailles lâchées dans le corsage bleu du ciel !

On a condamné Sun au mur, car il a

mal enseigné le Prince, ne lui a rien dit des guerres et lui a appris les arts. Il en a fait par ces temps barbares, un mauvais despote.

On lui a crié : « Vieux fou, jusqu'à ta mort, tu ne verras plus que ce ventre plein de terre et de paille. Tu ne feras plus avant l'aube d'autre chemin que celui de ta chambre au mur et à la nuit tombée, de ce mur à ta chambre. Ainsi, tu pourriras mieux qu'en prison et ta déchéance sera publique. »

— C'est bien, a dit Sun.

— A moins que tu ne préfères la mort ?

— Je préfère un mur à vie.

Il ne baissa pas les yeux devant la lézarde qui barrait la façade. Au bout de quelques jours, il se mit même à lui sourire.

Il voyait déjà ce que personne n'aurait vu : en haut de cette fente, le nid de la mésange, et au ras du sol, celui des guêpes.

Une plaque de mousse passait de l'ombre au soleil, toujours à la même heure. Tantôt visqueuse d'humidité, tantôt sèche et morte. Du bleu-vert au bleujaune, de l'ocre au gris ardoise, et le ballet recommençait du matin au soir.

Une colonie de fourmis montait sur la lèvre gauche de la fissure et la traversait deux fois avant de se bousculer dans le trou final. Pourquoi deux fois, se dit Sun ? Il réfléchit des mois sans trouver de réponse.

Cette faille qui bâillait après la saison des pluies, quand le toit de chaume, trop lourd, faisait plier ses poutres, se refermait doucement aux premiers jours torrides. Sun se dit qu'elle était devenue essentielle pour tous. Mésanges, guêpes, fourmis et lui-même, Sun, en vivaient.

Après la première saison, les heures de jour ne lui suffisant plus, Sun se fit porter par les nuits de lune, face au mur.

On ne l'en sortit que grelottant de froid. Il demanda à rester sous la pluie comme au pic du soleil, et même, un jour de neige, il refusa de rentrer.

Il se passionnait tellement pour ce monde lépreux et fendu de haut en bas qu'on l'entendait pousser des cris d'enthousiasme. Le prince cadet qu'on tenait au courant, pensa qu'il était atteint de la folie des vieillards, et il s'en réjouit. Quand Sun demanda une harpe, on la lui donna en riant. Il apprit seul à pincer les cordes et chanta de courts poèmes où se mélangeaient sa vie, ses mésanges, les lumières changeantes et les mousses : tout ce qu'on pouvait dire sur l'homme et sur le monde, Sun le tirait de son amitié avec ce mur.

Les enfants du village se cachèrent à l'ombre des pierres, recopièrent en cachette ce qu'ils entendaient et le portèrent au maître d'école qui l'envoya à la ville et bientôt, tout le royaume connut les chansons du vieux Sun. Qui aurait osé dire au Prince que ces poèmes célèbres venaient de celui qu'il avait condamné, quelques années avant, à réduire sa vie à une façade de torchis ?

Mais certains courtisans se prirent à penser que ce mur-là serait un jour plus célèbre que leur Prince.

Le visage de Sun, le fou chantant, rayonnait de cette lumière intérieure qu'ont certains papillons et certains hommes qu'honore la beauté. On parlait maintenant de lui au-delà des frontières.

Certains prenaient modèle sur sa vie et s'essayaient à contempler des murs de torchis, de ciment ou de pierre. Ils annonçaient que le bonheur existe et que pour le tenir, peu importait de contempler une belle femme, une société juste ou un tableau de maître, l'important était la qualité du regard, plus que ce qu'on regarde.

Depuis Sun, on ne pouvait plus faire de différence entre Dieu et l'art. Ce qui primait était le rapport avec l'un ou l'autre.

L'absolu n'était qu'un lien total avec n'importe quoi d'aimé.

Dieu était l'art d'être homme.

De cette lézarde bourrée de pailles à mésanges, de brins à fourmis et de boue à guêpes, des milliers de disciples parlaient à l'insu du Prince et du pouvoir. Ils allaient même jusqu'à dire que la perfection ne se trouve jamais dans la puissance mais dans les choses du commun. Les plus beaux scarabées ne courent pas au soleil. On les découvre en retournant les cailloux du chemin.

Sous la pierre on a besoin de beauté, comme dans la nuit les songes sont nécessaires.

Peu à peu, le vrai pouvoir échappait au Prince. Personne ne s'opposait à lui mais personne ne l'aidait. Les corps travaillaient et les esprits couraient ailleurs.

Au pied du mur, Sun chantait toujours, mais sa voix s'entendait à peine et le couple de mésanges dix fois avait changé.

Vint le jour de dire au monarque sa vérité : il n'était plus que le roi des choses, un roitelet bon pour l'oubli. Le monde entier ne connaissait de son royaume qu'un vieil homme devant son mur.

Furieux, le Prince vint avec un maçon, et tandis que Sun chantait, l'autre boucha la lézarde, crépit la façade et la passa à la chaux vive.

— Alors, Sun des mésanges, Sun des fourmis, Sun l'hypocrite qui me trompait, tu sembles triste ?

— Triste, je le suis car je n'aurai

jamais assez d'années devant moi pour connaître et aimer ton nouveau présent. Que d'autres viennent.

Et Sun s'affaissa, face au mur.

L'ETERNELLE FETE

FETE du vin à Daphni ! Fête folle où l'on permet tout, où l'on donne tout ! Pas d'ivrognes mais des païens joyeux comme des flûtes. On chante sous les oliviers et les eucalyptus dans toutes les langues. On boit tous les nectars des îles, jusqu'au Samos épais comme le sirop d'un pharmacien ivre.

Et je danse et je crie et je saute à pieds joints les feux de sarments. Les jupes jouent au vent comme des mouettes, les pieds nus filent comme des poissons. Plus d'hier, plus de demain ! A peine un « ce

119

soir » qui file dans les vignes avec le dernier soleil.

Et l'un fait la ronde autour d'un laurier et l'autre se roule dans la source claire et le dernier, un matelot fort comme un bouc, danse avec les statues qu'il salue au dernier accord du bouzouki avant de les reposer sur leur socle.

Fête du vin à Daphni et personne n'a vu ce cirque entrer sur la place, avec ses chevaux poussiéreux, ses roues usées qui grincent à vous couper le souffle.

La bâche à peine levée, voici l'orchestre. Mais qui reconnaîtra ces musiciens vêtus de cuirasses noires et leurs instruments d'acier ? Ces musiciens qui ne se regardent jamais pour jouer !

Bientôt sous les lauriers, on n'entend plus que leur musique.

Les autres instruments se sont brisés à les imiter, ou bien se sont tus, faute de pouvoir suivre leur rythme de machine.

Qui s'est étonné de voir les étoiles entrer dans la danse ?

Vite, vite ! Si vite... L'aube est à peine là et la nuit va descendre. Le soleil roule vite vite ! Si vite...

Le poitrail de la terre s'essouffle. Des lambeaux de crépuscule tombent et tournoient comme des écharpes. Des rafales de poussière et de papiers d'argent usent les robes jusqu'à la chair. Les essieux grincent et les musiciens accélèrent. Font-ils semblant de ne pas voir ou bien leurs yeux sont-ils vides comme ceux des statues ? Car les danseurs changent à vue d'œil. Les jeunes sourient moins. Ceux qui, cette nuit, faisaient sauter leurs trente ans semblent laisser glisser leurs cinquante. Et allez donc !

Buvez, c'est gratis ! Danse, danse, danse !

Plus de jour, plus de nuit. Tiens, il y a des vieillards qu'on n'avait pas remarqués. L'un perd sa main, l'autre sa tête et se fait poussière. Vite ! Vite ! L'orchestre joue si vite qu'on ne l'entend plus. La musique est devenue un vibrato aigu et continu d'aiguiseur de faux. Les lauriers sont secs, la source morte, le vin tellement vieux qu'il n'a plus ni goût ni couleur.

Au fond des derniers foudres, ceux

dont le bois n'éclate pas encore, le samos est une poudre jaune.

La montre du dernier danseur marque minuit quand sur l'accent d'une dernière note, il vole en poussière.

Les musiciens descendent enfin du chariot qui s'affaisse sur ses clous rouillés. A eux maintenant de danser. Vite vite plus vite !

Le sol se fend, la lune pâlit et se déforme, le soleil prend une peau grisâtre. C'est le grand froid, mais dansez donc !

On permet tout. On donne tout ! Comment ? Plus personne ?

Les étoiles tournent comme un vol d'éphémères. Toujours aussi belles, les étoiles, mais elles s'éteignent quand la folle musique devient bourdonnement d'une guêpe d'acier.

Soudain, les musiciens s'arrêtent. Le temps s'arrête. Tout est gratuit mais de Daphni il ne reste rien. Le néant ne sait pas danser...

Dans la même collection

L'AVALEUR D'OISEAUX
Yves Heurté
contes

— Avale ! hurlait Priol.

Et Yan poussait l'oiseau plus loin dans sa gorge. Les jeunes étouffaient de rire, les vieux mimaient les grimaces de l'idiot.

Quand on vit ses yeux chavirer vers l'autre monde, il était trop tard. Mort le chanteur, morte la chanson. Priol comme les autres rentra chez lui cuver son vin, abandonnant le corps martyrisé sous les lampions et les guirlandes.

Appelez cela fable, conte ou merveille, vengeance divine ou simplement justice, personne ne put dormir et sur le coup de trois heures, on entendit un chant d'oiseau.

Dans la même collection

LE GRAND COMBAT NUCLEAIRE DE TARZAN
Jean-Pierre Andrevon
nouvelles

— J'y serai avec mes hommes, fit Wango. Puis son image fondit lentement dans la transparence de l'écran.

Tarzan resta longtemps pensif, devant les yeux inamicaux de son pupitre, dans la houle rageuse des compteurs à radiations déchaînés. Son royaume de jungle calme et ombreuse se rétrécissait comme une peau de serpent au soleil. Les agressions de cette pieuvre hideuse, de ce cancer proliférant qu'on appelait civilisation, se multipliaient. Au large de la grande forêt de Pal-ul-don, dont les derniers gryfs avaient été tués depuis longtemps par les safaris de chasseurs héliportés, les puits d'extraction pétrolière de la Petrochimical Incorporated faisaient une ceinture de boue noire et putride.

— On ne tient pas tête à un officier allemand, Monsieur El Romanès. Vous allez être responsable de votre ignorance.

Romanino se réfugia un instant dans un silence dédaigneux.

— Comment s'appelle votre femme ? demanda l'Allemand d'une voix irritée, soupçonneuse.

— Huda Lagrini.

— Vos papiers. Vous vous appelez bien, Romanino El Romanès ?

— Oui.

— C'est votre vrai nom, ce n'est pas un nom d'emprunt ?

— C'est mon nom, balbutia le gitan.

— Alors, Huda Lagrini n'est pas votre femme, hurla l'officier en cognant son poing sur le bureau.

— Nous n'avons pas le même nom, cela ne prouve rien... Nous avons fait un mariage gitan...

Achevé d'imprimer
sur les Presses Bretoliennes
27160 Breteuil-sur-Iton

Dépôt légal : Août 1986
N° d'éditeur : 7174. — N° d'imprimeur : 431